QUINO

Mafalda revient

TOME 3

 EDITIONS Glénat

FRANCHEMENT, JE CROIS QUE SI LES AMÉRICAINS ET LES RUSSES DISENT QU'ILS VEULENT LE DÉSARMEMENT, C'EST PARCE QU'ILS LE VEULENT!

BIEN SÛR, FÉLIPE! ET SI ON TE DIT QUE LES VACHES ONT DES AILES, TU LE CROIS!

ÇA VA!...TU NE CHANGERAS JAMAIS!...

349

Papa fume sa pipe

IL FAUT ÉCRIRE ÇA?

ET À QUOI ÇA SERT DE SAVOIR ÉCRIRE ÇA? JE TE DEMANDE UN PEU?

À QUOI ÇA SERT DE SAVOIR ÉCRIRE QUE QUELQU'UN FUME LA PIPE, ALORS QUE DANS NOTRE PAYS, PRESQUE PERSONNE NE LA FUME?!

C'EST COMME CELA QUE CEUX QUI ÉTUDIENT DOIVENT PARTIR À L'ÉTRANGER POUR METTRE EN APPLICATION CE QU'ILS ONT APPRIS!

350

QU'EST-CE QUE ÇA VEUT DIRE, MANOLITO?

JE NE SAIS PAS!

TU NE SAIS PAS... ÇA NE M'ÉTONNE PAS DE TOI!

351

NOS CHERS AUDITEURS VOUDRAIENT CONNAÎTRE VOTRE OPINION SUR LA SITUATION MONDIALE.

352

3

4

AU REVOIR, MAFALDA! MEILLEURE SANTÉ AU MONDE!

MERCI!

LE MONDE MALADE! AH, MAFALDA A DE CES TROUVAILLES QUELQUEFOIS!

H...

COMMENT? LE MONDE EST QUOI?

357

CRETIN! MAL EMBOUCHÉE!

ENCORE!

VOUS DISPUTER! C'EST TOUT CE QUE VOUS SAVEZ FAIRE! VOUS N'AVEZ RIEN TROUVÉ DE PLUS POSITIF, NON?

BIEN SÛR QUE NON... TOUS LES RÉSUS POSITIFS PASSENT LEUR VIE À SE BATTRE...

CASSIUS CLAY, JAMES BOND... ILS SERAIENT QUOI S'ILS NE SE BATTAIENT PAS?

ANDOUILLE! FACE DE RAT!

ET AINSI VA L'HUMANITÉ!

358

JE NE COMPRENDS PAS CETTE MANIE QUE TU AS DE T'EN PRENDRE SANS ARRÊT À MANOLITO.

SI NAPOLÉON NE S'ÉTAIT JAMAIS BATTU, QUI LE CONNAÎTRAIT? PERSONNE. ABSOLUMENT PERSONNE.

C'EST LA PREMIÈRE FOIS QUE J'ENTENDS DIRE QUE LA GUERRE EST UNE TECHNIQUE PUBLICITAIRE!

359

UN BOULON!

ROUILLÉ. À QUOI ÇA PEUT SERVIR?

TOUT SERT À QUELQUE CHOSE.

MAIS RIEN NE SERT À TOUT.

360

COMME L'A DIT ORTEGA ET GASSET, CHERS AMIS, NOTRE PAYS EST UN PAYS TRISTE...

SI T'AS VOULU ÊTRE DRÔLE EN DISANT CELA, TU AURAIS PU CHOISIR QUELQUE CHOSE DE PLUS MARRANT.

AS TU SONGÉ À CE QUI ARRIVERAIT SI LA DISTANCE N'EXISTAIT PAS !

NON, AUCUNE IDÉE ! QU'EST CE QUI ARRIVERAIT ?

ET BIEN **TOUT** SERAIT ICI, TU TE RENDS COMPTE, SI, **TOUT ÉTAIT ICI !**

LE KREMLIN LE COW-BOY SOLITAIRE LES BEATLES AFRICA CUBA **TOUT** LE MUR DE BERLIN ICI DISNEYLAND Jerry Lewis VIETNAM KU-KLUX-KLAN PELÉ

TU TE RENDS VRAIMENT COMPTE !

OUI, IL SE REND **VRAIMENT** COMPTE !

JE NE PEUX PAS MANGER MA SOUPE, PARCE QUE JE SUIS UNE PETITE VIEILLE ! JE TREMBLE ET TOUT TOMBE !

ÇA VA ! PASSE-MOI TA CUILLÈRE QUE JE TE DONNE TA SOUPE !

QU'EST-CE QU'IL Y A ?

IL Y A QUE JE SUIS VIEILLE, MAIS PAS IDIOTE !

TU T'ES DÉJÀ DEMANDÉ CE QUE NOUS FAISIONS SUR TERRE, FELIPE ?

NON, JAMAIS. MAIS JE ME LE DEMANDE TOUT DE SUITE : « QUE FAISONS-NOUS SUR TERRE ?»

ET JE RÉPONDS AUSSITÔT : « EST-CE QUE JE SAIS POURQUOI DIABLE ON EST SUR TERRE ?»

CE GENRE DE PROBLÈMES, IL FAUT S'EN DÉBARRASSER AU PLUS VITE !

6

NOUS SOMMES DES MILLIONS À VIVRE SUR TERRE, ET EN FIN DE COMPTE, POURQUOI ?

POURQUOI SOMMES NOUS SUR TERRE ?

JE SUIS UN PEU PRESSÉ, MAIS SI TU VEUX JE PEUX TROUVER ÇA POUR DEMAIN !

MAMAN, POURQUOI SOMMES NOUS SUR CETTE TERRE ?

POUR TRAVAILLER, NOUS AIMER, ET FAIRE EN SORTE QUE CE MONDE SOIT MEILLEUR !

CACHOTTIÈRE TU NE M'AVAIS PAS DIT QUE TU AVAIS LE SENS DE L'HUMOUR !

QU'EST CE QUE TU CROIS QUE NOUS FAISONS SUR TERRE, SUSANITA ?

BEN, FRANCHEMENT, JE NE SAIS PAS !

JE ME SOUVIENS QUE LA CIGOGNE QUI M'A AMENÉE A DÉCOLLÉ D'ORLY À DIX SEPT HEURES VINGT DEUX DE PARIS ...

"... NOUS AVONS FAIT UNE ESCALE À DAKAR, UNE AUTRE À RIO, ET ELLE M'A DÉPOSÉE ICI ..."

"... MAIS JE N'AI PAS PENSÉ À LUI DEMANDER POURQUOI ELLE M'AVAIT AMENÉE ..."

QU'EST CE QUE VOUS ME DITES DE CE QUI S'EST PASSÉ HIER ? VOUS AVEZ VU, HEIN ?

NON, QUOI ?

CE QUI S'EST PASSÉ ? COMME TOUJOURS : LA SEULE CHOSE QUE LES GENS SAVENT FAIRE DANS CE PAYS : NE PAS TRAVAILLER ? QUI A TRAVAILLÉ HIER ?

PERSONNE !

FIGURE TOI QU'HIER, C'ÉTAIT LA FÊTE MONDIALE DU TRAVAIL ET PERSONNE N'A TRAVAILLÉ, NI ICI, NI DANS AUCUN PAYS DU MONDE ! ET CETTE FÊTE-CE N'EST PAS NOUS QUI L'AVONS INVENTÉE !

NON ?

NON !

COMME TOUJOURS LA SEULE CHOSE QU'ON SACHE FAIRE DANS CE PAYS C'EST COPIER LES ÉTRANGERS !

7

LA COMMISSION CHARGÉE DE PARVENIR À UN ACCORD SUR LE DÉSARMEMENT NUCLÉAIRE EST À NOUVEAU RÉUNIE À GENÈVE.

369

GENÈVE, C'EST LA CAPITALE DE LA SUISSE?

NON, C'EST LA CAPITALE DE L'ECHEC.

VOUS CONNAISSEZ L'HISTOIRE DE LA PETITE FOURMI ET DE L'ÉLÉPHANT? VACHEMENT DRÔLE! HI! HI!

RACONTE.

VAS-Y!

370

ET BIEN, C'EST UN ÉLÉPH, HI, HI! LÉPHANT QUI SE PROMÈNE, HI! HI! DANS LA JUNGLE ET IL...HI! HI! RENCONTRE UNE... HI! HI! HI, IL RENCONTRE UNE... HI! HI! HI!...

TU T'IMAGINES TOUS CES JOURS QUI RESTENT AVANT LA FIN DE L'ANNÉE LES EXAMENS, ET TOUT, ET TOUT...

BON, C'ÉTAIT QUOI TON HISTOIRE?

ET BIEN, C'EST UN ÉLÉPHANT QUI SE PROMÈNE DANS LA JUNGLE ET IL RENCONTRE UNE PETITE FOURMI, ET ALORS IL LA REGARDE ET IL LUI DIT DE SA VOIX D'ÉLÉPHANT: "CE QUE TU PEUX ÊTRE PETITE!" ET ALORS...

BANG!

LE VACHE!

371

"LE VACHE"! NON! TU DOIS DIRE "AUUGHN." COMME DANS LES WESTERNS!

TU AS DÉJÀ VU UN COW-BOY QUI DIT "LA VACHE" QUAND ON LUI TIRE DESSUS?

POURQUOI TU NE VAS PAS TE FAIRE CUIRE UN OEUF AVEC TES MORTS EXOTIQUES, FELIPE?

372

8

IL FAUT QUE JE RENTRE FAIRE MES DEVOIRS!

ET MOI, JE DOIS FAIRE UNE LIVRAISON!

ET MOI, VOIR MON PROGRAMME DE T.V.!

DE TOUTE ÉVIDENCE, ON N'A PAS LE CHOIX! ON JOUE À LA GUERRE NUCLÉAIRE!

OUI!

BOOOM!

LA VIE MODERNE IMPOSE DES LOISIRS DE PLUS EN PLUS BREFS!

C'EST LA QUESTION LA PLUS STUPIDE QUE J'AIE JAMAIS ENTENDUE, SUSANITA!

AH OUI? ET QUAND TOI TU DEMANDES POURQUOI LE MONDE CECI ET LA GUERRE CELA ALORS?

...

TU ES LA SEULE QUI PUISSE POSER DES QUESTIONS PEUT-ÊTRE? TU ES LA VEDETTE? POURQUOI JE N'AURAIS PAS, MOI AUSSI, UNE QUESTION À POSER?

QUELLE QUESTION, SUSANITA?

POURQUOI, DANS CE PAYS, LES OUVRIERS SONT-ILS DES PAUVRES, AUTEINT BASANÉ ET NON DE BEAUX BLONDS AVEC DE GROSSES VOITURES, COMME AUX U.S.A.?

C'EST TOUT MAFALDA! ELLE DIT QUE MA QUESTION EST STUPIDE ...

QUELLE QUESTION?

...POURQUOI, DANS CE PAYS, LES OUVRIERS SONT-ILS DES PAUVRES, AUTEINT BASANÉ, ET NON DE BEAUX BLONDS AVEC UNE GROSSE VOITURE, COMME AUX U.S.A.?

TU CROIS QUE C'EST UNE QUESTION IDIOTE, TOI?

NON, À PREMIÈRE VUE, CE N'EST PAS IDIOT.

MAIS EN Y RÉFLÉCHISSANT BIEN, C'EST DANGEREUX!

"mal" LA MAÎTRESSE M'A ENCORE MIS: "mal"!

ET C'EST POUR ÇA QU'ON VIENT À L'ÉCOLE TOUS LES JOURS!

ENCORE SI ON VENAIT DE TEMPS EN TEMPS!

MAIS FAIRE ÇA À UN CLIENT FIDÈLE!

MON DIEU!... CE SONT LES VICTIMES D'UN BOMBARDEMENT OU D'INONDATIONS!

MAIS NON, MAFALDA! CE SONT DES PUBLICITÉS DE FILMS!

DE TOUTES MANIÈRES IL FAUDRAIT ENVOYER DES VÊTEMENTS À CES PAUVRES GENS!

LES CHANSONS NE SONT PAS TOUJOURS ROSES...

ELLES FONT MAL ET DONNENT LE COEUR GROS.

OH, OH, OH, ELLES SE TERMINENT DANS LES SANGLOTS.

LES CHANSONS RESSEMBLENT AU CEINTURON DE MON PÈRE...

378

TAGADA TAGADA... TAGADA... VOICI VENIR LE FAMEUX...

LE COW-BOY CÉLIBATAIRE!

SOLITAIRE!

C'EST LA MÊME CHOSE, FELIPE, TOUT CÉLIBATAIRE EST UN SOLITAIRE!

IL Y A DES GENS CAPABLES DE VOUS COUPER TOUTE INSPIRATION!

379

TU NE TROUVES PAS QU'ILS SONT DE PLUS EN PLUS TORDUS!

OUI, EN RÉALITÉ ILS N'ONT RIEN DE DROIT.

TE FATIGUE PAS MANOLITO. ON PARLE DES DROITS DE L'HOMME.

380

10

POURQUOI DIABLE LES ADULTES PASSENT-ILS LEUR TEMPS À DIRE DES CHOSES INCOMPRÉHENSIBLES?

C'EST TRÈS SIMPLE SUSANITA!

QUAND TU ARRIVES AU CINÉMA ET QUE LE FILM EST DÉJÀ COMMENCÉ, TU COMPRENDS?...

NON.

...AVEC LES ADULTES C'EST PAREIL! COMMENT LES COMPRENDRE?...

QUAND NOUS ARRIVONS ILS ONT DÉJÀ COMMENCÉ DEPUIS LONGTEMPS!

385

VOUS CONNAISSEZ L'HISTOIRE DU JAPONAIS QUI VA CHEZ LE DENTISTE?

NON

RACONTE.

"C'EST UN JAPONAIS "FAITES VOS ACHATS CHEZ DON MANOLITO" QUI VA CHEZ LE DENTISTE...

"IL ENTRE DANS LE CABINET "DON MANOLO VEND MOINS CHER". ET ALORS LE DENTISTE.

....

AINSI S'ACHÈVE UNE GRANDE CAMPAGNE PUBLICITAIRE.

386

ALORS TU AS ENCORE UNE MAUVAISE NOTE PARCE QUE TU AVAIS BÂCLÉ TES DEVOIRS! COMMENT PEUX-TU ÊTRE AUSSI PEIGNE ZIZI, MANOLITO?

387

MOI, PEIGNE ZIZI? TU AS OSÉ M'APPELER PEIGNE ZIZI? UN PEIGNE ZIZI, MOI?

C'EST TOI, LA PEIGNE ZIZI, TU M'ENTENDS? C'EST TOI LA PEIGNE ZIZI, C'EST TOI!

AU FAIT, MAFALDA, QU'EST CE QUE ÇA VEUT DIRE PEIGNE ZIZI?

C'ÉTAIT QUOI, CETTE ESPÈCE D'INSULTE QUE TU M'AS LANCÉE HIER MAFALDA?

"PEIGNE ZIZI" POURQUOI?

AH!

388

PARCE QUE JE VAIS LA SORTIR À SUSANITA, TU VAS VOIR SA TÊTE, À CELLE-LÀ!

SALUT SUSANITA! TU VEUX QUE JE TE DISE CE QUE TU ES? HEIN? TU VEUX?

VAS-Y! DIS-LE! VAS-Y!

TU ES UNE PANZANI!

12

MAIS QU'EST CE QUE ÇA PEUT BIEN VOULOIR DIRE "PEIGNE ZIZI"?

JE NE SAIS PAS T'EXPLIQUER "PEIGNE ZIZI"! ÇA PEUT AVOIR PLUSIEURS SENS.

JE NE COMPRENDS PAS COMMENT TU PEUX EMPLOYER UN MOT SANS SAVOIR EXPLIQUER CE QUE CELA VEUT DIRE. TU ME FENDS L'ÂME...

JE TE FENDS QUOI?

L'ÂME J'AI DIT.!

ET C'EST QUOI L'ÂME FELIPE? TU M'EXPLIQUES?

L'ÂME? ET BIEN, C'EST... UNE CHOSE QUE L'ON A... NON PAS QUE L'ON A MAIS QU'ON... ENFIN, EUH! TU SAIS BIEN, C'EST... C'EST...

TU AS ÉTÉ TRÈS CLAIR FELIPE? TRÈS CLAIR!

JE SUIS RESTÉ COMME UN VRAI PEIGNE ZIZI.

OÙ VAS TU, MAFALDA? TON DÉJEUNER!

J'ARRIVE!

SMAC!

BON ANNIVERSAIRE! SOL DE MA PATRIE!

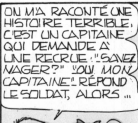

ON M'A RACONTÉ UNE HISTOIRE TERRIBLE, C'EST UN CAPITAINE QUI DEMANDE À UNE RECRUE: "SAVEZ NAGER?" "OUI MON CAPITAINE" RÉPOND LE SOLDAT, ALORS...

AH! OUI! JE LA CONNAIS! APRÈS, LE CAPITAINE DEMANDE: "OÙ AVEZ VOUS APPRIS?" "DANS L'EAU!" QU'IL DIT, L'AUTRE. C'EST CELLE LÀ, FELIPE? HEIN, DIS? C'EST CELLE LÀ?

JE TE DÉTESTE, SU SANITA! JE TE DÉTESTE!

ON NE SAURA JAMAIS SI C'ÉTAIT BIEN CELLE LÀ...

TU ES TOUT BIZARRE! QU'EST CE QU'ILS ONT TES CHEVEUX, MANOLITO?

DE LA VOLONTÉ!

LAQUE

13

LES STOCKS D'ARMES NUCLÉAIRES AUGMENTENT. LE PROBLÈME DE LA FAIM S'ACCENTUE. VIOLENTS HEURTS RACIAUX Q!!!!

COMME ÇA, TU NE REGRETTERAS PAS D'AVOIR QUITTÉ CE BAS MONDE!

AIDEZ LES ENFANTS HANDICAPÉS.

OH, MERCI!

AIDEZ LES ENFANTS HANDICAPÉS.

UNE-DEUX. UNE-DEUX. UNE-DEUX. UNE-DEUX.

SECTION. HALTE!

DÉPOSEZ!!!

ARME!

RRREPOS!

VOILÀ LE SEUL MOYEN D'OBTENIR LA PAIX DANS LE MONDE!

CIF-CIF-CIF

TOC! TOC!

D'ACCORD; JE RECONNAIS QUE JE SUIS UN PEU IDIOT.

..ELLE S'EST CRUE OBLIGÉE DE DIRE SON OPINION!...

FABULEUX!...

... ON A TROUVÉ LES RESTES FOSSILES D'UN ANIMAL MORT IL Y A 100'000 ANS!

BONNE MÈRE! 100000 ANS!

SNIG!

PAUVRE PETIT! À QUELLE HEURE EST-IL MORT?...

JE CONNAIS UNE HISTOIRE TRÈS, TRÈS DRÔLE! JE LA RACONTE?

OUI, VAS-Y!

MAIS, AUPARAVANT, UNE PAGE DE PUBLICITÉ...

LA MAISON "DON MANOLO" EST HEUREUSE DE VOUS PRÉSENTER CETTE HISTOIRE QUI...

....

JE NE COMPRENDS PAS. FAUT CROIRE QUE JE MANQUE DE MÉTIER!

TU AS RAISON, MAFALDA! JE NE PEUX PAS ÊTRE UNE FEMME COMME NOS MÈRES, QUI SE CONTENTAIENT DE LA COUTURE!

NOTRE GÉNÉRATION EST DIFFÉRENTE! NOUS SOMMES LA GÉNÉRATION DE LA TECHNIQUE, DE L'ÉLECTRONIQUE!

PAR CONSÉQUENT, JE NE ME CONTENTERAI PAS DE LA CONFECTION ET DE LA COUPE! LA SCIENCE M'APPELLE!

QUAND JE SERAI GRANDE, J'ACHÈTERAI UNE MACHINE À TRICOTER! LA CYBERNÉTIQUE ME PASSIONNE!

15

CE N'EST PAS BIEN DE LAISSER TRAINER SON CACHE-COL.

CACHONS NOUS ICI, NOUS DEVONS PROTEGER LA FEMME QUI TRANSPORTE LE MESSAGE!

"OUI, AINSI NOUS POURRONS DEJOUER LES PLANS DU COW-BOY SOLITAIRE!"

"PLACE! VOILA LA FEMME QUI ARRIVE!"

OH QUELLE GENERATION! JUSQU'OÙ IRONT ILS DANS L'INDECENCE ET L'EXHIBITION!

VIVE LA PATRIE!

VIVA! VIVE LA PATRIE!

VIVE LA PATRIE!

QU'EST CE QUE TU AS, MAFALDA? CE N'EST PAS UNE FÊTE NATIONALE AUJOURD'HUI!

QU'EST CE QUE TU VEUX QUE CELA ME FASSE? LA PATRIE, JE L'AIME TOUS LES JOURS. JE N'AI PAS BESOIN QUE LE CALENDRIER ME SOUFFLE MON ENTHOUSIASME!

AUJOURD'HUI JE SUIS D'UNE HUMEUR MASSACRANTE!
TU AS POURTANT L'AIR CONTENTE, SUSANITA...

C'EST PARCE QUE JE VEUX QUE PERSONNE NE SE RENDE COMPTE DE MON HUMEUR!

ALORS, IL NE FAUDRAIT PAS QUE TU LE DISES!

OUI, MAIS JE SERAIS, HYPOCRITE. JE M'ÉTONNE QUE TU DÉFENDES L'HYPOCRISIE!

UN JOUR IL FAUDRA QUE J'ANALYSE CE QUI ME REND LE PLUS MALADE, SUSANITA OU LA SOUPE...

17

QUI A FAIT COURIR LE BRUIT QUE JE N'AIMAIS PAS LES "BEATLES"!

TU AS ÉCOUTÉ LE DERNIER DISQUE DES "BEATLES"?

NON!

CES TYPES LÀ ME DÉGOÛTENT.

A TON ÂGE, ÇA DEVRAIT TE PLAIRE. TOUS LES ENFANTS DU MONDE AIMENT LES "BEATLES"!

MOI, ILS ME DÉGOÛTENT, C'EST TOUT.

QU'EST CE QU'IL A MANOLITO?

IL REFUSE D'ÊTRE DE SA GÉNÉRATION.

LES BEATLES! COMMENT PEUT-ON ADMIRER CETTE BANDE DE TARÉS, QUI NE SAIT QUE GRATTER DE LA GUITARE!

YEAH! YEAH!

QUELLE GÉNÉRATION POURRIE!

HELLO! C'EST TOI LA COLOMBE DE LA PAIX!

VIVE LA BOMBE H!... VIVE LA GUERRE!

SPLIT!

C'EST ELLE!

ELLE NE CONNAÎT PAS L'ARGENT, ET ÇA NE L'EMPÊCHE PAS D'ÊTRE HEUREUSE!

TU CROIS QU'IL N'Y A QUE L'ARGENT DANS LA VIE, MANOLITO?

NON, BIEN SÛR, L'ARGENT N'EST PAS TOUT!

IL Y A AUSSI LES CHÈQUES...

ÇA ME FAIT MAL AU COEUR DE VOIR CES PAUVRES

À MOI AUSSI!

IL FAUDRAIT LEUR DONNER UN TOIT, DU TRAVAIL, UN PEU DE BIEN ÊTRE!

POURQUOI TANT DE CHOSES? IL SUFFIRAIT DE NE PAS LES MONTRER!

LE TÉLÉPHONE EST ENCORE EN PANNE À LA MAISON. J'EN AI MARRE DE VIVRE DANS UN PAYS SOUS-DÉVELOPPÉ!

ÇA NE TE FAIT PAS UN PEU MAL DE QUALIFIER TON PAYS DE "SOUS-DÉVELOPPÉ"?

MAIS C'EST UN PAYS SOUS-DÉVE-LOPPÉ! QU'EST-CE QUE TU VEUX QUE JE DISE? UN PAYS COMMENT?

UN PAYS "DILETTANTE".

C'EST DRÔLE, LES CATÉGORIES DE LA BOXE POURRAIENT SERVIR À CLASSER LES PAYS.

PAR EXEMPLE: LES PAYS PETITS ET TRÈS SOUS-DÉVELOPPÉS SONT LES POIDS PLUME, D'AUTRES COMME LE NÔTRE, SONT DES POIDS COQS OU DES POIDS LÉGERS.

AH! ET ALORS, LES ÉTATS UNIS OU LA RUSSIE, C'EST QUOI?

DES POIDS LOURDS!

TRÈS LOURDS!

L'IMBÉCILE! IL EST EU TRAIN DE GAGNER!

SELON LA RÈGLE DU JEU, IL EXISTE UN CAS OÙ ON PEUT BOUGER PLUS D'UNE PIÈCE À LA FOIS?

SEULEMENT POUR ROQUER.

TOE!

LA RÈGLE DU JEU AURAIT DÛ PRÉVOIR D'AUTRES CAS!

MAFALDA, TU AS "LE PETIT POUCET"? JE PEUX LE LIRE?

BIEN SÛR!

Dans une petite chaumière, vivait une famille très pauvre...

PAF!

?

J'EN AI ASSEZ DU DOCUMENT VÉCU!

CE QUI NOUS MANQUE DANS CE PAYS, C'EST DE SAVOIR TIRER PARTI DES RESSOURCES NATURELLES!

NOUS AVONS DEVANT NOUS DES RESSOURCES NATURELLES INSOUPÇONNÉES...

"...ET NOUS DEVONS EN TIRER PARTI! SANS ATTENDRE!"

BRILLANTE IDÉE MANOLITO!

Aujourd'hui je me suis levée de très bonne humeur...

...alors je crois que j'aurai le moral toute la journée...

SNIF SNIF

...avec une baisse de moral vers midi et une soupe probable.

21

aujourd'hui j'ai fait une partie de ping-pong avec Felipe. mais...

...j'ai joué comme un manche et j'ai perdu 9 à 20.

LE SEUL JOURNAL INTIME AVEC UN SUPPLÉMENT SPORTIF.

425

QU'EST-CE QUE C'EST QUE CE CARNET?

RIEN... MON JOURNAL INTIME.

426

TON JOURNAL INTIME! FORMIDABLE! J'IMAGINE LES ROSSERIES QUE TU DOIS Y DIRE SUR MANOLITO, FELIPE... ETC. NON? AVOUE!

FIGURE-TOI QUE DANS MON JOURNAL INTIME, IL N'Y A AUCUNE ROSSERIE CONTRE QUI QUE CE SOIT!!

NON?

NON!

TU N'ACCEPTES PAS LES COLLABORATIONS BÉNÉVOLES?

"CE DONT VOUS N'AVEZ PLUS BESOIN, DONNEZ LE À EMMAÜS APPELEZ-NOUS AU 00.1.48.49. D'AVANCE, MERCI!"

427

ET PUIS NON! JE NE CROIS PAS QU'EMMAÜS AIT BESOIN DE NOS LEADERS POLITIQUES

MA MÈRE M'INQUIÈTE.

ELLE DIT QU'ELLE EST FATIGUÉE DE FROTTER TOUTE LA JOURNÉE À LA MAISON.

428

PARDON, MIGUELITO. NE DIRAIT-ELLE PAS, PAR HASARD! "TOUTE LA SAINTE JOURNÉE?"

OUI, C'EST VRAI. ELLE DIT: "TOUTE LA SAINTE JOURNÉE." COMMENT TU LE SAIS?

OH, J'AI QUELQUES PETITES LOTIONS DU FOLKLORE MATERNEL.

TU NE DEVRAIS PAS FAIRE ATTENTION AUX JÉRÉMIADES DOMESTIQUES DE TA MÈRE, MIGUELITO. TOUTES LES MÈRES PASSENT LEUR TEMPS À RÉPÉTER LA MÊME CHOSE.

429

"ET PUIS ON SE MARIE POUR FAIRE LA BONNE! VOILÀ POURQUOI ON SE MARIE"!

"MAIS VOUS VERREZ! UN JOUR COMME ÇA J'EN AURAI ASSEZ! ET VOUS VERREZ CE QUE JE FERAI. ÇA, VOUS VERREZ."

SI QUELQU'UN AVAIT ENREGISTRÉ ET DÉPOSÉ ÇA, IL GAGNERAIT DES MILLIONS DE DROITS D'AUTEUR.

EN RAISON DE LA FÊTE NATIONALE, TOUTES LES BANDES DESSINÉES DU PAYS SONT TENUES D'INTRODUIRE CE GAG DANS LEUR SCÉNARIO.

430

VIVE LA PATRIE!

ET VOILÀ! MAINTENANT CHAQUE FEUILLETON PEUT REPRENDRE SON COURS NORMAL.

MERCI!

LE PROBLÈME DE BEAUCOUP DE PAYS C'EST D'AVOIR TOUJOURS EU DES GOUVERNEMENTS CARAMEL.

431

DES GOUVERNEMENTS CARAMEL?... QU'EST CE QUE C'EST QUE ÇA?...

ÇA TE DURE LONGTEMPS À TOI, UN CARAMEL?

J'AI COMPRIS!

"...TU NE TROUVES PAS CURIEUX QU'UN ÊTRE AUSSI DEMEURÉ QUE MANOLITO AIT APPRIS SI VITE À JOUER AUX ÉCHECS?

QUOI!?

432

JE TE PRENDS UN PION, FELIPE! BUUUT!

BUUUUUUUUUUUUT!

QUOI?

RIEN!

23

cher journal intime: aujourd'hui j'ai mis ma mère en colère. J'avoue que je me suis mal conduite, et que...

433

...ma mère est très gentille et tout est entièrement de ma faute...

(La Direction de ce journal intime déclare qu'il se contente de publier ces réflexions sans partager les opinions de leur auteur.)

IL RÈGNE UN CALME ABSOLU!

434

LES GOUVERNEURS VAQUENT À LEURS TÂCHES QUOTIDIENNES.

Ç'AURAIT ÉTÉ DOMMAGE DE NE PAS FAIRE UN PUTSCH DANS LES CHOCOLATS!

BANG! BANG! ET BANG!

435

COMMENT "ET" BANG? TU AS DÉJÀ VU UN REVOLVER QUI FAIT "ET"?

UN REVOLVER PEUT FAIRE "BANG! BANG!" À LA RIGUEUR "PONG!" MAIS JAMAIS "ET"!

QUI EST-CE QUI PEUT AVOIR ENVIE DE JOUER AUX COW-BOYS AVEC UN ÉRUDIT?...

QUAND ON MEURT, OÙ QU'ON VA?

436

MA MÈRE DIT QU'ON VA AU CIEL!

ELLE T'A DONNÉ LES DÉTAILS DU DÉCOLLAGE?

IL Y A QUELQUE CHOSE QUE JE NE COMPRENDS PAS!

QUAND ON MEURT, SI ON VA AU CIEL...

"...A QUOI ÇA SERT LE CIMETIÈRE?

SANS DOUTE UNE SORTE DE CAP KENNEDY?

437

TU M'AS DIT QUE QUAND ON MOURAIT, ON MONTAIT AU CIEL, NON?

OUI, POURQUOI?

PARCE QU'IL Y A QUELQUE CHOSE QUE JE NE COMPRENDS PAS. COMMENT FONT LES GROS DANS CETTE HISTOIRE?

MAIS NON, MIGUELITO : VOILÀ COMMENT ÇA SE PASSE : AU CIEL, IL N'Y A QUE L'ÂME QUI MONTE; LE CORPS, ON LE LAISSE ICI!

AH BON! L'EMBALLAGE EST CONSIGNÉ?!

438

AHAHAHA! ECHEC!

J'AI GAGNE! ECHEC ET MAT!

LE ROI EST MORT! VIVE LE ROI!

DEVANT TANT DE DIGNITÉ, LE TRIOMPHE EST SANS GLOIRE!

439

?

QU'EST CE QUE TU AS, MAFALDA? TU ES DEVENUE FOLLE?

IL FAUT AVANCER AVEC L'HUMANITÉ, MIGUELITO, IL FAUT AVANCER AVEC L'HUMANITÉ.

440

441

"... BALLE AU PIED, IL PART DU CENTRE DU TERRAIN..."

VOILÀ CE QUI ME PLAIRAIT! ÊTRE JOUEUR DE FOOTBALL COMME ÇA, PAS BESOIN D'ALLER À L'ÉCOLE!

442

"...IL CONTINUE, IL PREND DES RISQUES, IL FEINTE UN ADVERSAIRE...DEUX!...IL EST DANS L'EMBUT, AAATTENTION, IL VA SHOOTER ..."

"... CONTRE!... AH, MES AMIS, QUEL CONTRE! IL A ÉTÉ FAUCHÉ ...ON L'EMPORTE SUR UNE CIVIÈRE...

LE CONTINENT AMÉRICAIN SE COMPOSE DE: L'AMÉRIQUE DU NORD, L'AMÉRIQUE CENTRALE ET L'AMÉRIQUE DU SUD. SES PLUS GRANDS FLEUVES SONT...

QU'EST-CE QUI ARRIVE À MANOLITO?

443

IL A ENCORE DIT UNE DE SES ÂNERIES À L'ÉCOLE ET IL A EU UN ZÉRO.

CE N'EST PAS SI GRAVE... NOUS DISONS TOUS DES ÂNERIES DE TEMPS EN TEMPS.

OUI, MAIS LE PROBLÈME AVEC MANOLITO, C'EST QUE C'EST UN ÂNE À PLEIN TEMPS.

FFFF

444

BANG!

G#*쒼!

26

"BIENVENU".

IL EST SUPER TON TAPIS-BROSSE, MIGUELITO!

JE LE DÉTESTE.

TU LE DÉTESTES?

POURQUOI?

C'EST TOI, MIGUELITO? JE PARIE QUE TU AS OUBLIÉ LES PATINS! HEIN? J'EN ÉTAIS SÛRE... ET MOI QUI M'ÉCHINE TOUTE LA SAINTE JOURNÉE À CIRER LES PARQUETS!

C'EST LE TAPIS-BROSSE LE PLUS HYPOCRITE DU QUARTIER!

J'AI ENTENDU DIRE QU'ON NAISSAIT DANS UN CHOU. QU'EST-CE QUE TU EN PENSES?

C'EST LA CIGOGNE QUI NOUS APPORTE, MIGUELITO. L'HISTOIRE DU CHOU, C'EST UN BOBARD SANS QUEUE NI TÊTE.

TU AS SÛREMENT RAISON, MAIS MOI JE NE MANGERAI PLUS JAMAIS DE CHOUCROUTE!

445

446

ET TOI, QU'EST-CE QUE TU EN PENSES? ON NAÎT DANS LES CHOUX OU C'EST LA CIGOGNE QUI NOUS APPORTE?

HI! HI... QUELLE IDÉE DE POSER CE GENRE DE QUESTION À MANOLITO! CE SONT DES PROBLÈMES TROP PROFONDS POUR CETTE MULE!

C'EST VRAI MIGUELITO. LA NAISSANCE ET LA MORT, JE M'EN MOQUE. C'EST LA VIE QUI M'INTÉRESSE, MOI. PAS SES LIMITES.

HI! HI!

447

ET SI C'ÉTAIT VRAI QU'ON NAISSE DANS LES CHOUX!

POURQUOI L'HISTOIRE DE LA CIGOGNE SERAIT-ELLE VRAIE, ET CELLE DES CHOUX, NON?

AU BOUT DU COMPTE, UN CHOU A AUTANT DE VALEUR SCIENTIFIQUE QU'UNE CIGOGNE, SINON PLUS!

ET AU PÔLE NORD, DANS QUOI ILS NAISSENT LES PETITS ESQUIMAUX?

448

LES ESQUIMAUX! VOILÀ LA PREUVE QUE C'EST LA CIGOGNE QUI NOUS APPORTE, MIGUELITO!

SI ON NAISSAIT DANS LES CHOUX, IL N'Y AURAIT PAS D'ESQUIMAUX! VOYONS, MIGUELITO, CROIS-TU QU'IL Y A DES CHOUX AU PÔLE?

QU'EST-CE QUE J'EN SAIS MOI! AVEC LE MARCHÉ COMMUN...

JE ME DEMANDE POURQUOI JE VAIS CHEZ LE COIFFEUR!

JE NE SAIS VRAIMENT PAS POURQUOI JE VAIS CHEZ LE COIFFEUR!

JE VOIS DES ROMANS-PHOTOS, DES REVUES...

...ET JE VOIS UNE SOIRÉE DANSANTE ET PUIS UN MARIAGE...

...ET JE VOIS FROTTER ET REFROTTER LA MAISON JUSQU'À DEVENIR VIEILLE...

ET DIRE QUE C'EST ÇA QUE VOIENT LES FEMMES QUI REGARDENT LA VIE AU TRAVERS D'UN BIGOUDI!

DIS, MAFALDA, CROIS-TU QU'ON RÉSOUDRAIT LE PROBLÈME DE LA FAIM DANS LE MONDE SI ON DONNAIT UN BONBON À TOUS CEUX QUI MEURENT DE FAIM?

JE CROIS BIEN QUE NON. POURQUOI TU DEMANDES ÇA?

EH BIEN...TU IMAGINES CE QU'ON AURAIT SUR LA CONSCIENCE! NON?

UN DE MES COUSINS, QUI SAIT L'ANGLAIS, M'A TRADUIT QUELQUES CHANSONS DES BEATLES.

MONTRE.

TU AS UN CRAYON? IL Y A UNE PHRASE QUE JE VOUDRAIS NOTER.

BIEN SÛR.

"QUAND JE T'AI VUE AVEC LUI, J'AI SENTI QUE MON AVENIR S'ÉCROULAIT."

IL N'Y A QUE DES GÉNIES QUI PEUVENT SI BIEN TRADUIRE CE QUE L'ON RESSENT LA PREMIÈRE FOIS QUE L'ON VOIT SA MÈRE AVEC UNE ASSIETTE DE SOUPE.

HIER LE PREMIER MINISTRE BRITANNIQUE ET LE SECRÉTAIRE GÉNÉRAL DE L'**O.N.U.** SE SONT RENCONTRÉS.

JE SUPPOSE QU'ILS ONT PARLÉ DE DÉSARMEMENT.

LES DEUX PERSONNALITÉS ONT PARLÉ DU DÉSARMEMENT.

ET APRÈS, ON DIT QUE LA **TÉLÉ** ATROPHIE L'IMAGINATION!

DIS-MOI, FELIPE, TU CROIS RÉELLEMENT QUE LA **TÉLÉ** ATROPHIE L'IMAGINATION DES ENFANTS?

BEN, TU VOIS, JE NE ME SUIS JAMAIS VRAIMENT POSÉ LA QUESTION...

ET SI C'ÉTAIT VRAI QUE LA **TV** DESSÈCHE L'IMAGINATION DES ENFANTS?

BIGRE, SI C'ÉTAIT VRAI?

TU AS VU? ILS DISENT QUE LA **TÉLÉ** EST UN VÉHICULE CULTUREL.

UN VÉHICULE CULTUREL?

HAN HAN

ATTRAPE!

BANG! BANG!

ACCK!

CULTURE OU PAS, JE DESCENDS À LA PROCHAINE ET JE VAIS À PIED!

CHAUSSURES

462

boutique

Tailleur

DIS, MAMAN, TU ES SÛRE QUE NOUS ALLONS DANS LE SENS DE L'HISTOIRE?

TEJIDOS

TIC!

463

"UNE VIEILLE COUTUME QUI N'EST PAS PASSÉE DE MODE..."

TUER DES GENS?

".. BOIRE DU WHISKY BLACK-GROG..."

AH...

TRÈS BIEN! JE M'EN VAIS! MAIS JE PROTESTE!

464

ELLES PARLENT D'AVOIR DES ENFANTS ET...ELLES ME JETTENT DEHORS!

VOILÀ QUE NOUS, LES **ENFANTS**, ON NE PEUT ENTENDRE PARLER DE FAIRE DES **ENFANTS**, ET ON SE FAIT METTRE À LA PORTE!

C'EST AUSSI ABSURDE QUE DE PARLER DE FAIRE DE LA PSYCHANALYSE, ET DE JETER DEHORS SIGMUND FREUD!

31

ATCHOUM!

UN RHUME !... Y ME MANQUAIT PLUS QUE ÇA !...

...SANS COMPTER LE CHARME, L'INTELLIGENCE, LA SENSIBILITÉ, LE TALENT, LE TACT, L'ÉLÉGANCE, LA FINESSE, LE BON SENS, L'IMAGINATION, LA CULTU...

J'AI PRÊTÉ MES ILLUSTRÉS À MANOLITO POUR QU'IL OUBLIE UN PEU SA GRIPPE.

AT... HAAT...

NON, PAS EN LISANT MON IL...

...CHOUMM!

LUSTRÉ...

TROP TARD!

MAUDITE GRIPPE !... IL FALLAIT QUE ÇA TOMBE SUR MOI!

ALLONS, MANOLITO !... LA GRIPPE, ÇA TOUCHE TOUT LE MONDE, LES GRANDS ET LES PETITS, LES GROS ET LES MAIGRES, LES RICHES ET LES PAUVRES, LES NOIRS ET LES BLANCS!

QU'ELLE AILLE AU DIABLE AVEC SA DÉMOCRATIE!

ÉPICERIE "DON MANOLO"

COMMENT VA TA GRIPPE, MANOLITO?

EN SORTANT DE L'ÉCOLE, ON A PENSÉ VENIR VOIR SI TU N'AVAIS BESOIN DE RIEN.

OUI, JE VOUDRAIS VOUS DEMANDER QUELQUE CHOSE.

DIS! ON SE FERA UN PLAISIR DE T'AIDER...

NE PARTEZ PAS SANS ACHETER CHEZ "DON MANOLO"... IL Y A CE QU'IL VOUS FAUT!

MANOLITO EST AU LIT AVEC LA GRIPPE, D'ACCORD! MAIS POURQUOI VAS-TU LE VOIR AVEC UN CASQUE SPATIAL?

POUR ÉVITER LA CONTAGION.

SI J'Y VAIS SANS CASQUE, ET QU'IL ME LA PASSE?

S'IL TE LA PASSE, TANT PIS! L'AMITIÉ EXIGE CERTAINS SACRIFICES!

JE NE VOIS PAS CE QU'IL Y A DE MAL À DONNER UNE TOUCHE MODERNE AUX SACRIFICES!

QU'EST-CE QU'ILS VONT ÊTRE CONTENTS FELIPE, SUSANITA ET MAFALDA, QUAND ILS ME VERRONT DEBOUT!

474

LES AMIS!...J'EN SUIS SORTI DE MA FOUTUE GRIPPE!... MAIS OÙ SONT-ILS?

COMBIEN Y AURA-T-IL DE GENS GRIPPÉS COMME NOUS DANS LE MONDE, MAFALDA?

JE N'EN SAIS RIEN...BEAUCOUP, JE SUPPOSE. POURQUOI TU DIS ÇA?

JE NE SAIS PAS... ÇA CONSOLE TOUJOURS UN PEU DE SAVOIR QU'ON N'EST PAS SEUL, PAS VRAI?

OUI. MAIS FRANCHEMENT, DANS CE CAS, LE SYNDICALISME NE REMPLACE PAS L'ASPIRINE!

MOI, CE QUE J'AIME BIEN DANS LA GRIPPE, C'EST QU'ON VA **PAS** À L'ÉCOLE.

476

QUE VEUX-TU QUE JE TE DISE, FELIPE...

MOI, JE PRÉFÈRE ALLER À L'ÉCOLE, APPRENDRE DES CHOSES, FAIRE MES DEVOIRS...

...PLUTÔT QUE D'ÊTRE OBLIGÉE DE SUPPORTER CETTE INCULTURE VIRALE.

J'AI APPRIS QUE TU ÉTAIS RESTÉE AU LIT À CAUSE DE LA GRIPPE. MAIS MA MÈRE N'A PAS VOULU QUE J'AILLE TE VOIR, DE PEUR QUE JE L'ATTRAPE...

MOI, AVEC MES ÉCONO-MIES, JE T'AVAIS ACHETÉ UN PAQUET DE GÂTEAUX... ALORS J'AI PIQUÉ UNE DE CES COLÈRES ! UNE DE CES COLÈRES !

T'ES TROP GENTIL, MIGUELITO, MAIS CE N'ÉTAIT PAS LA PEINE DE M'ACHETER CE PA-QUET DE GÂTEAUX...

C'EST-À-DIRE QUE...OUI...ENFIN!...

...MOI, LES COLÈRES, ÇA ME DONNE FAIM !

Fa-Fe-Fi-Fo-Fu famille-fer-fil-fossé-fumée

Cet homme est fort
Cette fille, c'est Fanny
Ce garçon, c'est Fidel...

CE GARÇON EST UN COMMUNISTE !

MAMAN ! JE PEUX TE DIRE QUE CETTE SOUPE EST UN BREUVAGE ATROCE ?...

HÉ !

ET QUE C'EST LA COCHONNERIE LA PLUS IMMONDE QUE J'AI JAMAIS MANGÉE ?

À MOINS QUE ÇA TE GÊNE, LA CRITIQUE CONSTRUCTIVE ?

TU VOIS ? ÇA, C'EST LE MONDE !

TU SAIS POURQUOI IL EST JOLI, CE MONDE ?

PARCE QUE C'EST UNE MAQUETTE...

L'ORIGINAL EST UN DÉSASTRE !

JE VAIS FAIRE LES COURSES ET JE REVIENS. N'OUVRE A' PERSON-NE, MÊME SI ON INSISTE...

ÇA VA!

MAMAN!

ET SI C'EST LE BONHEUR?

PAPA, OÙ VIVENT LES GENS QUI NE SONT PAS ENCORE NÉS?

ILS N'EXISTENT PAS, MAFALDA. ALORS ILS NE VIVENT NULLE PART. POURQUOI?

NON... NON...POUR RIEN!

Avant de venir, réfléchissez!

DANS CETTE BOU-TIQUE, CE QU'IL NOUS MANQUE C'EST UNE ÉTUDE DE MARCHÉ.

JE VAIS ALLER INTERROGER LES GENS DANS LA RUE: "FAITES-VOUS VOS ACHATS CHEZ DON MANOLO?"

CEUX QUI RÉPONDENT OUI, JE LES METS DANS CETTE COLON-NE, ET CEUX QUI RÉPONDENT NON...

QU'EST-CE QUE TU FAIS LA' TOUT SEUL, MIGUELITO?

OH, RIEN... J'ATTENDS QUELQUE CHOSE DE LA VIE.

QU'EST-CE QUE C'EST QUE CETTE HISTOIRE ? TU VAS RESTER LÀ, COMME ÇA, À ATTENDRE QUELQUE CHOSE DE LA VIE ?

485

ET BIEN, OUI ! JE VAIS RESTER LÀ, COMME ÇA, À ATTENDRE QUELQUE CHOSE DE LA VIE.

ET SI C'ÉTAIT PARCE QU'IL EST PLEIN DE MIGUELITO, QUE LE MONDE VA COMME IL VA ?

C'EST ABSURDE ! TU PENSES VRAIMENT RESTER ASSIS COMME ÇA À ATTENDRE QUELQUE CHOSE DE LA VIE ?

OUI.

486

MAIS, DIS-MOI : **QU'EST-CE QUE** TU ATTENDS DE LA VIE, HEIN ?

...QUELQUE CHOSE...N'IMPORTE QUOI. TOUT CE QU'ELLE M'OFFRIRA SERA BIEN.

PINGRE !

QU'EST-CE QU'IL FAIT LÀ, ASSIS TOUT SEUL ?

IL DIT QU'IL ATTEND QUELQUE CHOSE DE LA VIE.

487

ÇA VA PAS, MIGUELITO ! TU CROIS QU'IL SUFFIT DE S'ASSEOIR ET D'ATTENDRE POUR QUE LA VIE T'APPORTE QUELQUE CHOSE, HEIN ?

OUI.

ET TU CROIS QU'ON VA ATTENDRE LONGTEMPS ?

BANG! BANG! **BANG! BANG!**

488

BANG! BANG!

POUM !

NON, NON et **NON !** ÇA NE SE DIT PLUS POUM ! QUI EST **LE CONSERVATEUR** QUI A DIT POUM ?

"UNE PERSONNE QUI NAÎTRAIT AUJOURD'HUI, QUEL ÂGE AURAIT-ELLE DANS UN DEMI-SIÈCLE?"

50 ans.

QUE QUELQU'UN, NÉ APRÈS VOUS, SOIT AUSSI VIEUX... C'EST DÉPRIMANT!

?

CRÈME de Beauté

ET ALORS?

QUAND JE SERAI GRANDE, JE SERAI INTERPRÈTE À L'O.N.U.

QUAND UN DÉLÉGUÉ DIRA À UN AUTRE DÉLÉGUÉ: "VOTRE PAYS EST IMMONDE", JE TRADUIRAI: "VOTRE PAYS EST MERVEILLEUX". COMME ÇA, PLUS DE CONFLITS...

LE MONDE VIVRA EN PAIX.

TOI, TU VAS ME FAIRE LE PLAISIR DE DURER JUSQU'À CE QUE JE SOIS GRANDE...HEIN?

IL Y A UNE CHOSE QUI ME REND MALADE: TU NAIS, ET QU'EST-CE QUE TU ES? UN FILS. TU AS 5 ANS, QU'EST-CE QUE TU ES? UN FILS.

TU AS 8, 12, 15, 19 ANS, ET QU'EST-CE QUE TU ES? UN FILS! RIEN QU'UN FILS! TOUJOURS UN FILS!

IL FAUT ATTENDRE VINGT ANS POUR POUVOIR ÊTRE QUOI? UN PÈRE!

DANS QUEL MÉTIER, ON A VU ÇA? ATTENDRE VINGT ANS SA PROMOTION?..

AH, C'EST INCONTESTABLE! LE PRINTEMPS A LE SENS DE LA PUBLICITÉ.

MMMMMMMMMM LE PRINTEMPS EST DÉJÀ DANS L'AIR, MANOLITO. TU LE SENS ?

?

SNIIIIIIIFF!

NON

ET TOI? LE PRINTEMPS, ÇA TE PLAIT ?

CUI CUI!

ET LA SITUATION MONDIALE?

CUI CUI!

J'AI BIEN CRU UN MOMENT QUE CUI-CUI ÇA VOULAIT DIRE OUI.

J'AI ENTENDU DIRE QUE LE PRINTEMPS C'ÉTAIT LA SAISON DE L'AMOUR. TU CROIS QUE C'EST VRAI ?

OUI. JE CROIS QUE LE PRINTEMPS, C'EST LA SAISON DE L'AMOUR.

ALORS ÇA VEUT DIRE QU'IL FAUT ARCHIVER NOS COLÈRES JUSQU'À L'ÉTÉ !?

...ROCKEFELLER A DONNÉ À CETTE AFFAIRE UN ESSOR INÉGALABLE...

497

J'AI ENTENDU PARLER DE ROCKEFELLER ET ÇA M'A REMPLI LES POCHES D'ENVIE !

MA MÈRE A AUSSI DE TRÈS BELLES PLANTES GRASSES, AUSSI BELLES QUE CELLE-LÀ, MAIS EN PLASTIQUE...

498

EN PLASTIQUE !

ALORS, CE N'EST PAS COMPARABLE, MIGUELITO ! LE PLASTIQUE EST FROID, SANS VIE, SANS GRÂCE. À CÔTÉ DE LA NATURE, CE N'EST RIEN !

MONTREZ-MOI UN JOUET EN PLANTE GRASSE ET APRÈS ON DISCUTERA.

QUELLE POISSE ! IL FALLAIT QU'ON VIVE À LA MÊME ÉPOQUE QUE LES CHINOIS !

499

MAIS, MAFALDA, LES CHINOIS ONT TOUJOURS EXISTÉ !

OUI, MAIS...

...CEUX D'AVANT SE CONTENTAIENT DE FAIRE DES PROVERBES !

JE ME DEMANDE POURQUOI J'AI ÉCOUTÉ CE BULLETIN D'INFORMATIONS.

500

POURQUOI ? QU'EST-CE QU'ILS ONT DIT AUX INFORMATIONS ?

QU'UN CONFLIT NUCLÉAIRE NOUS MENACERAIT **TOUS** ! TU TE RENDS COMPTE ? ABSOLUMENT **TOUS** !

LA VACHE !...

C'EST LA PREMIÈRE FOIS QU'ON PARLE DE MOI À LA RADIO !

VOUS PENSEZ QUE LA SEULE CHOSE QUI M'INTÉRESSE C'EST LA BOUTIQUE DE MON PÈRE ET QUE JE NE SUIS BON QU'À COMPTER MES SOUS?

501

EH BIEN, JE TIENS A VOUS PRÉVENIR: JE NE SUIS PAS CE QUE VOUS CROYEZ!

RASSURE-TOI, MANO-LITO. ICI PERSONNE NE CROIT QUE TU SOIS QUOI QUE CE SOIT.

QUAND JE SERAI GRAND JE SERAI COSMONAUTE. PARFAITEMENT!... UN BON COSMONAUTE DOIT SE FAIRE PAS MAL D'ARGENT!

502

ET PUIS, FLOTTER... PLANER... SE SEN-TIR SUSPENDU DANS L'AZUR...

SCHPLAFF!

COMBIEN TU CROIS QUE PEUT GAGNER UN BON MATELASSIER, MAFALDA?

LE PRINTEMPS, MANOLITO!... LE PRINTEMPS EST ARRIVÉ!

503

ET ALORS?

QUI AURAIT PU S'ATTENDRE A UNE TELLE QUESTION?

TU AS DES PROJETS POUR CE PRINTEMPS, MIGUELITO?

504

VIVRE

CES JEUNES, ÇA PLANIFIE TOUT!

"Ne remets pas à demain ce que tu peux faire le jour même."

505

AÏE !... SI LES CHINOIS LISAIENT CELA...

BANG!

ACHHHH!

506

TA TA TA TA TA!

OUUUG! ACHHH! UUUCH!

BANG! BA NG!

ACHHH!

HEEEY!

BON DIEU, C'EST ÉVIDENT! MON PÈRE AURAIT DÛ OUVRIR UN SERVICE DE POMPES FUNÈBRES À LA PLACE D'UNE ÉPICERIE!

JE VAIS M'AMUSER À FAIRE PEUR À MAFALDA AVEC CETTE ARAIGNÉE DE CAOUTCHOUC.

507

TU SAIS CE QUE J'AI ?

ET BIEN, JE N'AVAIS JAMAIS OSÉ TE LE DIRE, MAIS, D'APRÈS MOI, TU AS LES DENTS QUI AVANCENT, ET LA FIGURE ALLONGÉE, ET PUIS TU N'AS PAS BEAUCOUP DE CARACT...

SMACK!

508

TIENS, MAFALDA. LIS "LE PETIT POUCET", C'EST BIEN PLUS DE TON ÂGE!

TIC!

"...et dans le noir, croyant toucher le Petit Poucet et ses frères, l'ogre tua ses propres filles..."

ÇA ALORS ! JE CROYAIS QU'À N'IMPORTE QUEL ÂGE, UN BAISER VALAIT MIEUX QU'UN ASSASSINAT.

42

"...QUI ENVOYA UN VIOLENT COUP DE POING AU GARDIEN DE BUT DEVANT L'INDIFFÉRENCE DE L'ARBITRE, QUI NE SIFFLA PAS LE COUP FRANC..."

COMMENT PEUT-ON LAISSER PASSER DES TRUCS COMME ÇA! C'EST RÉVOLTANT!

"LE NOMBRE DES ENFANTS ABANDONNÉS ET MAL NOURRIS NE CESSE D'AUGMENTER"

JE SUIS D'ACCORD AVEC TOI! C'EST RÉVOLTANT! AH, SI TOUT LE MONDE POUVAIT RÉAGIR COMME TOI!

ET TOI, MANOLITO? TU AS DE MEILLEURES NOTES QUE LA FOIS DERNIÈRE, OU NON?

EH BIEN, ON DIRAIT QUE LA MAÎTRESSE SE SENT COMME UNE SYMPATHIE COMMERCIALE POUR MOI...

SYMPATHIE COMMERCIALE? QU'EST-CE QUE TU VEUX DIRE?

PLUS ÇA VA, PLUS ELLE ME FAIT DES **RÉDUCTIONS**.

QU'EST-CE QUI T'ARRIVE, FELIPE?

C'EST TERRIBLE! J'AI UNE DENT QUI BOUGE, REGARDE!

OH, MONTRE!

QU'EST-CE QUE T'EN DIS?

CE N'EST PAS LE MOMENT QUE TU FASSES UN SPOT PUBLICITAIRE POUR UNE MARQUE DE COLLE.

NE T'EN FAIS PAS POUR CETTE DENT QUI BOUGE! QUAND ELLE TOMBERA, TU LA METTRAS SOUS TON OREILLER, ET LE LENDEMAIN MATIN, TU TROUVERAS LA PIÈCE QUE T'AURA APPORTÉE LA PETITE SOURIS.

UNE PETITE SOURIS? QUI M'APPORTERA UNE PIÈCE? À **MOI**?

OUAIS

CE SONT DES ANIMAUX BIEN SYMPATHIQUES LES SOU...

C'EST HORRIBLE! JE VIENS D'APPRENDRE À DÉTESTER LES PROBLÈMES ÉCONOMIQUES.

J'AI UNE DENT QUI BOU-GE, TU VOIS ? QUAND ELLE TOMBERA, JE LA METTRAI SOUS MON OREILLER ET LA PETITE SOURIS ME DONNERA UNE PIÈCE.

513

UNE PIÈCE ? SANS RIRE ! ET DANS COMBIEN DE TEMPS ELLE VA TOMBER TA DENT ?

HEU... JE SAIS PAS. DANS QUELQUES JOURS.

DES JOURS ? ÇA NE VA PAS ! LE PLUS TÔT NOUS LA FERONS TOMBER, MOINS ELLE SE DÉVALUERA !

INUTILE... LES PEUREUX N'ENTENDRONT JAMAIS RIEN AUX AFFAIRES.

CETTE HISTOIRE DE DENTS DE LAIT, C'EST UN MYSTÈRE !

514

ELLES SONT PAS BONNES MES DENTS ? ÇA SERT À QUOI DE LES CHANGER ?

À QUOI ÇA SERT DE CHANGER DES CHOSES QUI NE SONT PAS USÉES ?

ET EN PLUS...

LA SITUATION N'EST PAS SI BRILLANTE QU'ON PUISSE GASPIL-LER SES DENTS !

EXPLIQUE-MOI CE QUI SE PASSE AVEC LES DENTS DE LAIT, MAMAN ! ELLES TOMBENT TOUTES D'UN COUP ?

VLAN !

515

NON, MAFALDA, IL EN TOMBE D'ABORD UNE...

QUELQUES SEMAINES APRÈS, UNE AUTRE...

ET PUIS, ENSUITE, UNE AUTRE...

MON DIEU ! EST-CE QUE JE SAURAI SUPPORTER CE LONG STRIP-TEASE DE MES GENCIVES ?

516

ET VOILÀ ! POUR FINIR, ELLE EST TOMBÉE, MA FICHUE DENT DE LAIT.

CE QU'IL NE SAIT PAS, C'EST QU'IL A PERDU LA MOITIÉ DE SA PERSONNALITÉ.

44

ÉCOUTE LA JOLIE PHRASE QUE JE VIENS DE LIRE, MANOLITO:

"SI LA NUIT, TU PLEURES LE SOLEIL, TES LARMES T'EMPÊCHERONT DE VOIR LES ÉTOILES".

ET QUAND TU REÇOIS LA FESSÉE À MIDI, ALORS?

517

LES MAINS EN L'AIR! AU NOM DE LA LOI!

AH, LES LOIS, UN DÉSASTRE. DEPUIS DEUX ANS QU'ON NOUS PARLE D'AUGMENTER LES PENSIONS! TU PARLES D'UNE LOI!

C'EST UNE BELLE INJUSTICE, LA LOI!

TU PEUX LES BAISSER, ILS ONT ROMPU LE CHARME.

518

J'AI UNE RÉDACTION À FAIRE SUR LA VACHE. QU'EST-CE QUE TU PENSES QU'ON POURRAIT DIRE, MIGUELITO?

LA VACHE VIT DANS LE CHAMP, OÙ ELLE MANGE DE L'HERBE, ENCORE DE L'HERBE, ET...BEAUCOUP D'HERBE.

APRÈS, LA VACHE VIENT EN VILLE, ET C'EST NOUS QUI LA MANGEONS - ET VOILÀ!

C'EST-À-DIRE QUE, D'APRÈS TOI, LA VACHE N'EST QU'UN INTERMÉDIAIRE ENTRE L'HERBE ET NOUS?

519

TU AS FAIT LE DESSIN DE LA VACHE QUE NOUS A DEMANDÉ LA MAÎTRESSE, MIGUELITO?

BIEN SÛR

C'EST RESSEMBLENT?

BOF... EUH... À VRAI DIRE...

JE SAIS CE QU'IL Y A! COMME JE N'AVAIS PAS DE VACHE SOUS LA MAIN, JE N'AI PAS PU FAIRE EXACTEMENT UNE VACHE, MAIS...

...SON "PORTRAIT-ROBOT"!

520

JE CROIS TOUT DE MÊME QUE LA MAÎTRESSE VA AIMER MON DESSIN. ELLE N'EST PAS SI MAL, MA VACHE. ON VOIT BIEN QUE C'EST UNE VACHE, NON?

521

VUE D'ICI... HEIN. QU'EST-CE QUE T'EN DIS?

C'EST BEAU! C'EST A' TOI CE JOLI DESSIN, MANOLITO?

OUAIS!

ON T'A AIDÉ, OU C'EST TOI QUI AS TROUVÉ L'IDÉE DE FAIRE CE MONUMENT AU CLAIR DE LUNE?

ENFANTS! QUEL CADEAU POUR LA FÊTE DES MÈRES?

522

PENSEZ-Y! LA BOUTIQUE DON MANOLO VOUS SUGGÈRE UN GRAND CHOIX DE SAVON, SERPILLIÈRES, ETC...

N'OUBLIEZ PAS. UNE MÈRES FATIGUÉE COGNE MOINS FORT..

HOLA! QUI VA LA?

MOI! JE SUIS DANS MON BAIN!

523

QUI ÇA MOI? AH, C'EST TOI, MAMAN?

BIEN SÛR. QUI VOULAIS-TU QUE CE SOIT?

SCOTLAND YARD

...ET MALGRÉ L'INCOMPRÉHENSION GÉNÉRALE, CHRISTOPHE COLOMB CONTINUAIT D'AFFIRMER QUE LA TERRE ÉTAIT RONDE.

RONDE! QUEL IDIOT!

524

DU MÊME AUTEUR :

Recueils de dessins d'humour

Album cartonné 21,5×29,5 cm, 48 pages.

Mafalda

Album cartonné 21,5×29,5 cm,
48 pages, couleur

Imprimé en France
par Pollina, 85400 Luçon - N° 4154
en décembre 1981
Dépôt légal : 4ᵉ trimestre 1981